ものづくりと人々の暮らし

渋井康弘

三恵社

目次

第１回　暮らしを支える「ものづくり」

（１）経済学は、人々の働き方、暮らし方の仕組みを考える学問

この本を開いてくださった皆様、どうもありがとうございます。私は経済学を大学生の人たちに教えています。経済学って何でしょう？ひとことで説明するのはとても難しいのですが、あえて簡単に言ってみますね。「世の中の人々がどのように働き、どのように暮らしているか」――その働き方や暮らし方の仕組みを考える学問だと思ってください。

働き方、暮らし方ですから、色々な勉強とかかわりがあります。皆さんが学校で学んで来た「生活」、「社会」といった科目は、経済学と深い関係があります。でもそれだけではありません。たとえば、石油の値段が上がった時に、皆さんのおうちの車のガソリン代がどのくらいになるのかを考えるのも経済学の役目の一つです。値段の計算をしなければいけませんから、「算数」とも関係がありますよね。また、皆さんの食べるお米はどこの田んぼでどのように育てられ、どのようにして食卓までやって来るのか。皆さんが使う石けんはどこの工場でどんな風にしてつくられているのか――そんなことも考えます。「理科」とも関係がありそうでしょう。働く人たちが病気やけがに悩まされずに働き続けるためには、仕事場をどのようにして、どういうスケジュールで働けばよいのか。これも経済学の重要なテーマですが、「体育」や「家庭科」とも関係がありますよね。

（2）「ものづくり」は、人々の暮らしを支える

経済学ではこのように人々の働き方、暮らし方をさまざまな角度から考えるのですが、このブックレットではその中から「ものづくり」というものを取り出して、10回分のお話としてまとめてみたいと思います。そして、この第1回でお伝えしたいのは、「もの」をつくるということがとても大切な仕事だということ、「ものづくり」は人々の暮らしを支えるものだということです。

世の中にはさまざまな仕事があります。ものをつくる仕事もあれば、そうでない仕事もあります。ものを集めて売る仕事もあれば、人にサービスする仕事もあります。お金を集めて人に貸す仕事もあります。すべての人が「ものづくり」をするわけではありません。ただし、このことはしっかりと頭に入れてください。世の中には、「ものづくり」をする人が必ずいなければならないのです。

人が暮らしてゆくためには、さまざまな「もの」が必要でしょう。食べる「もの」、着る「もの」、遊ぶ「もの」……暮らしてゆくために使うさまざまな「もの」。皆さんはこれらを、お金を払って買わなければなりません（自分でつくることができるのであれば、買わなくてもよいですが）。ところで、「ものづくり」をする人が足りなくて、皆さんの必要とする「もの」が少ししかつくられなかったとしたら、どうなるでしょう。その「もの」は簡単には買えなくなります。より多くのお金を払えば買えるかもしれませんが、そうやって買っていると「もの」の値段はどんどん上がっていきます。けっきょく多くの人は、その「もの」を買えな

くなるでしょう。もう少し簡単に考えてみましょうか。どんなにたくさんお金があっても、そのお金で買おうとする「もの」がまったくつくられていなければ、誰もそれを手に入れることができないでしょう。つまり「ものづくり」がなければ、人々の暮らしは成り立たない。「ものづくり」は人々の暮らしを支えているのです。

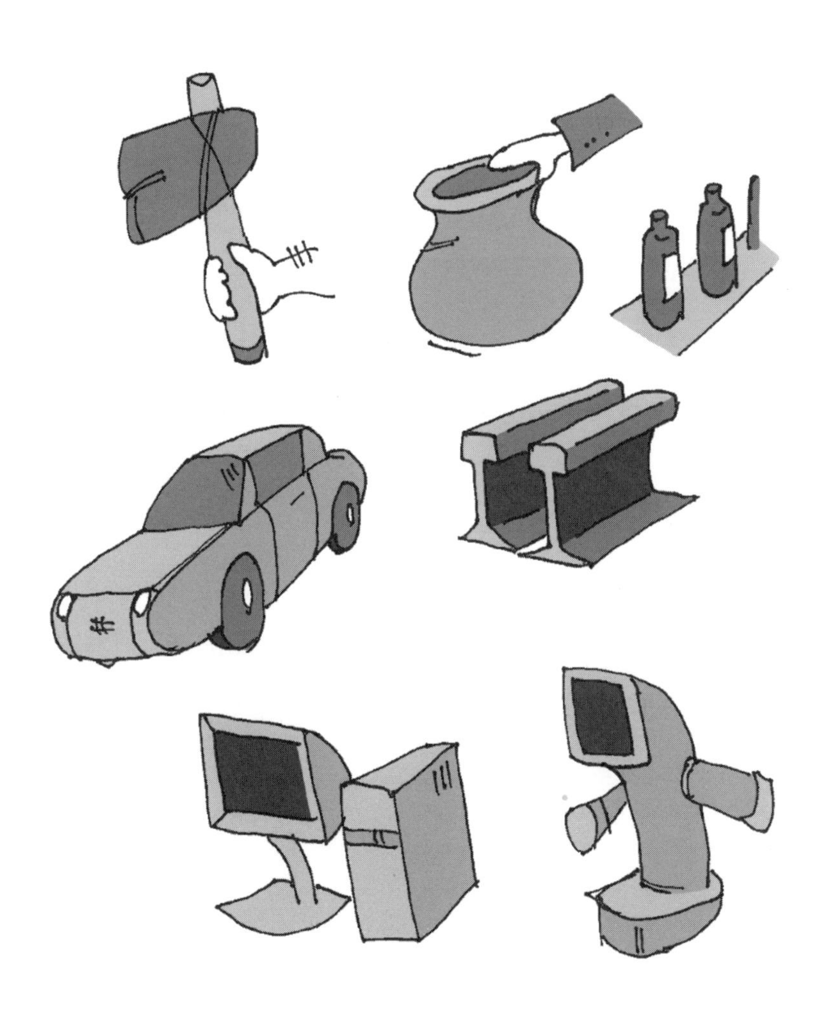

（３）人類の歴史は「ものづくり」の歴史でもある

実は、お金でものを買うという習慣が広まるずっと以前から、人間は「ものづくり」をしてきました。原始人が生きていた石器時代を知っていますか？　人類が石で、おのやナイフ（のようなもの）などの石器をつくった時代です。ほら、もうここで「もの」をつくっていた。さらに人類は土でつくり、鉄でつくり、石油でつくり……、道具をつくり、機械をつくり……、やがてコンピューターをつくり、ロボットをつくり……今日まで「もの」をつくり続けて来たのです。つくる「もの」は変わってきました。つくり方も変わってきました。でも人間が「ものづくり」をするということは、ずっと変わりません。「ものづくり」はずっと人間の暮らしを支え続けてきたし、人類は「ものづくり」と共に歩んできました。そういう意味では、人類の歴史は「ものづくり」の歴史でもあるのです。

どうでしょう。「ものづくり」の大切さを、少しは理解していただけたでしょうか？　次回はこの「ものづくり」が、人類の歩みと共にどのように変わってきたのかをお話します。

第2回　「ものづくり」と人類の歩み（その１）
―― 道具から機械へ ――

（１）道具を使う人類

原始人が生きていた石器時代に、石器というものがつくられていたということを、前回お話しましたね。人類は自然の中から石をとってきて、その石をわったり、みがいたりしながら、おのやナイフのようなものへと形を変えていきました。もともと自然の中にあったものを使って「ものづくり」をしたのです。

ところで、そこでつくられたおのやナイフは、何に使われたのでしょう。石をくだいたり、木の実の皮をむいたり……そのための道具として使われたのですね。石器という道具を使って、また別の石器をつくったり、食べ物をつくったりしました。このように人類は、原始時代から道具を使って「ものづくり」をしていたのです。

この「道具を使う」ということは、人間のとても大きな特徴です。他の動物は、こんなことはほとんどしません。動物だって巣穴を掘ったり、わが子のためにとらえた獲物をかみくだいてやったりと、「ものづくり」のようなことをします。でもその時に道具は使いません。足のつめでひっかいたり、くちばしでつついたり、歯でかみついたりして、自分の体そのものを使うのです。サルが木の枝をひろって道具のように使い、木の実や虫などを取ることもありますが、動物としてはとても珍しいことです。それにその場合でも、サルは自分で道具をつくって、使っているわけではありません。人間だけが道具をつくり、それを使って「ものづくり」をするのです。

（2）機械の登場

人類の歩みと共に、使われる道具は変わってきました。さまざまな工夫が重ねられ、より使いやすい道具、難しい仕事ができる道具がつくられるようになります。ハサミのように複数の部品が組み合わさった道具や、ピンセットのように細かい仕事のできる道具、ハンマーのように大きな力の出る道具も生み出されました。道具を次々と改良し、また次々と新しい道具を生み出しながら、人類は進歩していったのです。

やがてそうした人類の歩みが、大きく飛躍する時代がきました。道具にかわって機械を生み出し、これを使って「ものづくり」をするようになったのです。それは18世紀イギリスに始まり、やがて多くの国に広まりました。これを産業革命の時代といいます。簡単な機械であればもっと以前からあったのですが、「ものづくり」の現場のあちこちに機械が並び、機械でものをつくることが当たり前となったのは、この産業革命の時代以降です。機械のしくみをよく見てみると、その中には、以前から人間が使ってきた道具に似たものが組み込まれています。たとえばボール盤という機械には、穴をあける道具のキリに似た刃物が取り付けられています。これが、キリよりもずっと速いスピードで、力強く回転して、鉄などに穴をあけてしまうのです。また糸をつむぐ紡績機(ぼうせきき)という機械の中には、紡錘(ぼうすい)という道具に似たものがたくさん並んでいます。以前は人間が、1つの紡錘を手で回転させながら糸をつむいでいました。それと似た形のものがたくさん並んで、人間が手で動かすよりもずっと速く回転して、同時にたくさんの糸をつむいでしまうのが紡績機です。

このように機械の中には、道具に似たものが入っています。ただしその道具に似たものは、人間が手でにぎって使うのではありません。機械のしくみの中に組み込まれているのです。

（3）「ものづくり」の大変身

道具の場合、人間が手でにぎって動かしますから、その人の体力をこえて動かすことはできません。でも機械を使うと、人間には出すことのできない強い力、速いスピードで動かすことができます。人間はたいてい道具を1つしか動かせませんが、機械は、道具に似たものを同時にたくさん動かすこともできます。しかもそれを長時間、同じようにくり返し、ものをつくり続けることができるのです。

こうして人類は「ものづくり」のための強力な手段を手に入れました。人類の「ものづくり」は大変身をとげたのです。ところが20世紀になると、さらにもう1つの大変身が見られます。次回はそのお話をしましょう。

旋盤

第3回　「ものづくり」と人類の歩み（その2）
――コンピューターとものづくり――

（1）コンピューターの登場

産業革命の時代以降、ものづくりの現場のあちこちで機械が用いられるようになり、人類のものづくりが大変身を遂げたということを前回お話しました。

今回は人類のものづくりが、さらにもう一回、大きく変化したということをお話しましょう。それは20世紀半ば以降、コンピューターの登場によって始まったできごとです。

コンピューターは、簡単に言ってしまえば電気の性質を利用した計算機です。コンピューターの研究が最初にぐんと進んだのは、実は第2次世界大戦中でした。大砲の弾の飛び方を計算したり、恐ろしい原子爆弾を作る時の難しい計算をしたりするために、コンピューターを作ろうとしたのです。でも計算が必要になるのは、そのような時ばかりではありませんよね。戦争が終わった後には、コンピューターが様々な計算に使われるようになりました。

コンピューターをうまく使うと、色々なことができます。足し算、引き算だけでなく、文章を書くこと、それを記録して残しておくこと、記録されたことがらを整理すること、他のコンピューターと連絡を取り合うこと…等々。基本的には計算をするしくみなのですが、それをうまく使うことで使い道が広がっていくのです。

（2）コンピューターのついた機械

ものづくりの現場にも、コンピューターは用いられるようになりました。産業革命からずっと活躍してきた機械に、コンピューターが取りつけられるようになったのです。

コンピューターが機械に取りつけられるとどうなるか。例えば、機械に様々な動き方を、自動的にさせることができるようになります。コンピューターがなくても、多くの機械は自動的に、自分だけで動きますよね。でもその機械は、たいてい同じ動きを繰り返し、同じものを作り続けているのです。動き方を変えるためには、人間がハンドルやレバーを持って運転してやらなければなりません。しかしそれでは、自動的とは言えませんね。

機械にコンピューターが取りつけられると、話が違ってきます。機械の動き方をプログラムに書いて、コンピューターに入れるのです。プログラム（ソフトウェアとも言う）は、コンピューターに働き方を命令する命令書だと思ってください（ただしコンピューターが読めるように、特別な文字で書いてあります）。これにしたがって、コンピューターは機械の動きを計算し、モーターに信号を送ります。そのモーターが信号にしたがって動くことで、機械はプログラムどおりに、自動的に動くのです。プログラムを入れかえれば、また自動的に別の動きをします。さらに、異常事態を自動的に解決するしくみを作ることもできます。機械が自動的に動いていても、まちがった材料が入りこんだり、機械の部品がすりへってしまったりして、異常事態が発生することは少なくありません。ですから自動的に動く機械を使う場合でも、人間はその見はりをする必要がありました。ところがこの見はり役を、コンピューターに引き受けてもらう方法があるのです。

　例えば人間の目の代わりをするカメラのような部品を取りつけて、そこからの映像をコンピューターに送ります。コンピューターはその映像から、問題が発生していないかどうかを計算によってチェックして、問題が生じていたらそれを解決するように機械（のモーター）に信号を送るのです。このことが進んで行けば、人間が見はりをする必要も減っていくでしょう（現在のところは、まだ人間があちこちで見はりをする必要がありますが）。これがコンピューターつきの機械です。産業用ロボットというものも、同じようなしくみで動いています。

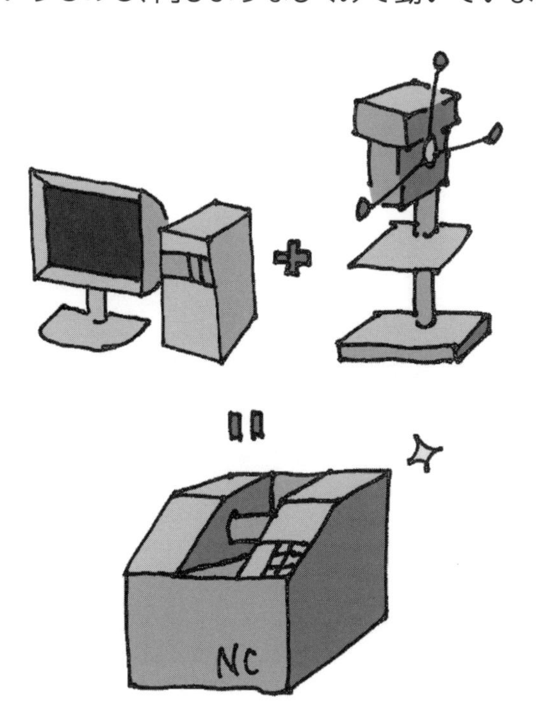

（3）人間は何をするの？　人は必要？

すさまじい変化でしょう。道具から機械への変化だけでも大変身だったのに、いまや人間は、その機械に様々な動きをさせる場合でも、運転も見はりもしなくて良いようになりつつあるのです。

ところで、そういうことがこの先も進んでいくとすると、ものづくりの中で人間はいったい何をすることになるのでしょう？　道具を動かすわけでもなく、機械の運転もせず、見はりもしない……。

私は第1回のお話で、「世の中には、『ものづくり』をする人が必ずいなければならない」と言いました。でも本当にそう言えるのでしょうか？　何のために「ものづくり」をする「人」が、必要なのでしょう？　皆さん、考えてみてください。私自身がどう考えているか——それはもう少し後でお話しすることにしましょう。

ワイヤカット放電加工機

第４回　　　工作機械の話

（1）工作機械って何？

今回は工作機械についてお話します。工作機械って何でしょう。名前のとおり工作して何かをつくる機械です。何をつくるのかと言うと機械を作ります。工作機械というのは「機械をつくる機械」なのです。

機械は、鉄をはじめとする金属の部品がたくさん組み合わさってつくられていますね。これらの部品は、金属を切ったり、けずったり、曲げたり、たたいたり、つぶしたりすることでつくられます。そして工作機械は、そういう工作をする機械なのです。丸い棒の形の金属をくるくると回して、横から刃物をあてて金属をけずる旋盤（せんばん）、何枚かの刃物がついた円盤が回転することで金属をけずるフライス盤、細長い刃物が回転して金属に穴をあけるボール盤……等々、まだまだたくさんの種類の工作機械があります。そして世の中のあちこちにある機械は、たいてい、そうした工作機械でつくられた部品でできています。電車にも自動車にもコンピューターにもスマートフォン（スマホ）にも……工作機械でつくられた部品が入っています。工作機械ってとても大切な機械ですよね。

（2）工作機械は親をのりこえられない

工作機械も機械ですから、やはり工作機械でつくられます。人間の親から子が生まれるように、工作機械も工作機械から生まれます。ただし工作機械の場合、生まれた子は決してその親よりも優秀にはなれません。ここで言う優秀とは、精密に工作できるという意味なのですが、工作機械はこの点では親をのりこえられないのです。精密さの度合いを精度と言います。工作機械の精度は、たとえば公差10分の1mmといった数字で表されます。これは、その工作機械で工作されたものの寸法が「たとえ図面からずれたとしても、そのずれる幅が10分の1mm以下になる」という意味です。想像してみてください。定規の1mmを10に分けたうちのひとつ分。そのくらいしかずれないということです。

ところでこの工作機械には親がいます。つまり、この工作機械をつくるために使われた別の工作機械があったわけです。そしてその工作機械の精度は、公差10分の1mmのレベルよりももっとハイレベル、もっと精密なのです。親の方の工作機械は、たとえば100分の1mmの精度でなければなりません。そうでないと10分の1mmのレベルの工作機械はつくれない。必ず親の方がハイレベルなのです。これが「工作機械は親をのりこえられない」ということの意味です。

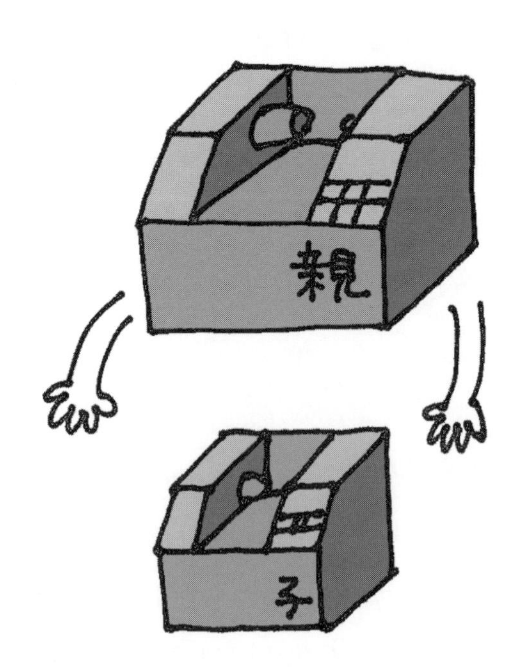

（3）最高の精度は人の手で出す

10分の1mmでも100分の1mmでも、今はコンピューターつきの工作機械が自動的に工作してくれます。自動車の部品などは、100分の1mmといったレベルで工作しなければなりませんが、それらも自動的につくられるのです。ところで100分の1mmレベルの工作機械にも、やはり親がいると考えられますよね。その場合その親は、100分の1mmよりもさらに精密に、たとえば1000分の1mmの精度で工作できなければなりません。1mmを1000に分けたうちのひとつ分。これもコンピューターつきの工作機械でできるのでしょうか？実は今のところ、うまくいかない場合が多いのです。しかしながらこの精度で工作できないと、100分の1mmレベルの工作機械もつくれません。さあ、どうしましょう？

ご心配なく。このように高い精度での工作は、人の手が行うのです。あらかじめコンピューターつきの機械で100分の1mmの精度で工作しておき、その後で人が、たとえばきさげという道具（彫刻刀に似ています）を使っててていねいにけずり、最高の精度にまでしあげるのです。なんと人の手が、コンピューターつきの機械よりも高い精度を出す。ただしそれは、何年もその仕事をして、腕をみがいた人の手です。そういう人がいるからこそ、100分の1mmの精度で自動的に工作する工作機械もつくることができるし、またその工作機械によって、10分の1mmの精度の工作機械もつくられるのです。最も精密な仕事は人の手で！　これが世の中のたくさんの機械のおおもとなのです。

運転もみはりもしなくてよいコンピューターつきの機械が広まっていくとしたら、「何のために『ものづくり』をする『人』が、必要なのでしょう？」──前回、私はこういう質問をしました。皆さん、もうおわかりでしょう。今日お話したような「人」が、絶対に必要なのです。ただし「ものづくり」に「人」が必要である理由は、これだけではありません。次回はまた別の見方で、この問題を考えてみましょう。

ボール盤

第5回　　つくり方を考える

（1）小さくなった携帯電話

みなさんスマートフォン(スマホ)が小さいのはあたり前だと思っているでしょう。でもスマホのもとになる携帯電話は、最初はそれほど小さくありませんでした。携帯電話が日本で一般の人々に売られ始めたのは1980年代後半くらいですが、そのころは大きなペットボトルくらいのサイズで、気がるに持ち歩けるものではありませんでした。その後、色々な部品を小さくする研究や開発が進み、携帯電話は小さくなって行きます。たとえば、リチウムイオン電池というものが開発されたことで、携帯電話はとても小さくなりました(リチウムイオン電池の開発で吉野彰さんがノーベル賞を受賞した時のニュースは、みなさんも見たかもしれませんね)。

ところで、このリチウムイオン電池を携帯電話に使おうとした時、困った問題がおきました。それを入れるケースがうまくつくれなかったのです。ステンレスという金属をうすく小さな電池ケースの形にしあげなければいけないのですが、その方法がなかなか見つからなかったのです。

やがて岡野雅行さんという人がつくり方を考え出しました。プレスという技術でつくります。製品の形のもとになる金型(かながた)というものをプレス機という機械に取りつけ、その金型を材料となる金属に押しつけて、製品の形に変えるのです。図工で使うねん土に指を押しつけると、指の形にへこむでしょう。消しゴムを押しつければ、消しゴムのあとがつきますね。その指や消しゴムが金型、ねん土が金属だと思ってください。押しつけると金属がうまくケースの形になるように、金型を工夫してつくるのです。これは口で言うと簡単ですが、実は大変です。どういう金型をつくれば良いか、どのくらいの強さで押しつけたら良いか、何回くらい押しつけたら良いか……一番良い方法を考え出さなくてはいけません。岡野さんはプレス工場を経営していて、以前にうすくて小さなライターをつくったことがありました。その時の経験をもとに、何度も失敗しながら考え出したそうです。

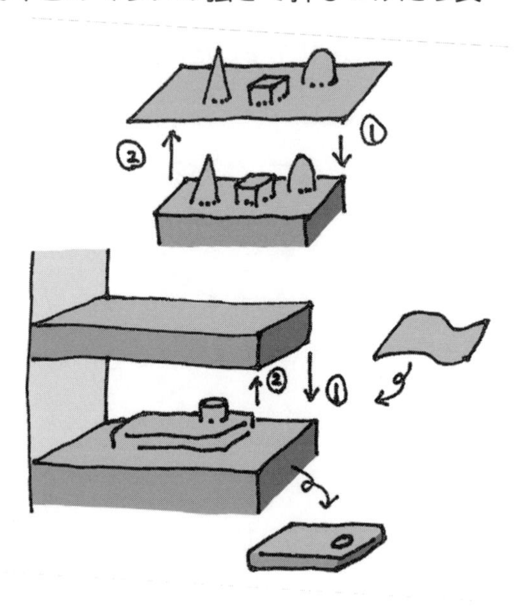

（2）「つくり方」を考えるのは「人間」

こうしてプレス機で、リチウムイオン電池のケースがつくられるようになりました。その後、多くの工場が、この方法で自動的に電池ケースをつくるようになりました。人間が機械を運転したり、道具を動かしたりしなくても、自動的につくれます。岡野さんがつくり方を考えたから、自動的にこんな電池ケースができるようになったのです。

さて、ここで以前に私がした質問を思い出してください。自動的な機械でものがつくられるこの時代に、「何のために『ものづくり』をする『人』が、必要なのでしょう？」

わかりますよね。「つくり方」を考えるために、「人」が必要なのです。たとえ自動的につくる機械がたくさんあったとしても、「つくり方」は人間が考えるのです。そして、その考えのとおりに機械が動くように工夫したり、プログラムをつくったりしなければなりません。前回お話したような高い精度で工作する人も必要ですが、今回お話したような「つくり方」を考える力をもった「人」も、必ずいなければならないのです。

（3）考える力を身につける

では「つくり方」を考える力は、どうすれば身につくのでしょう。実は、道具を使ったり、コンピューターのついていない機械を運転したりして、自分の手足を動かして「ものづくり」をすることがとても重要です。そうしていると、この材料はどのくらいの力でたたいたら良いか、どのくらいのスピードで切ったら良いか、どういう方向からつぶしたら良いか——考える力が身につくのです（岡野さんもそうでした）。でも今は、コンピューターつきの自動機械があふれていますよね。コンピューターつきの機械はプログラムを入れたら自動的に動きますが、プログラムを入れるためには、人間が「つくり方」を考えて、それをプログラムにしなければなりません。人工知能（AI）という高度なコンピューターは失敗の経験のデータなどをもとに自分でプログラムを修正するので、それがある機械は自分自身で以前よりも上手につくるようにもなります。これを学習機能と言いますが、でもその学習の仕方はやはり人間がプログラムにしますし、最初に「つくり方」を考えるのももちろん人間です。そしてその「つくり方」を考える力は、コンピューターのついていない機械や道具を使っていないとうまく身につかない。コンピューターつきの機械ばかり使っていると「つくり方」を考える力が身につかず、けっきょくコンピューターつきの機械そのものをうまく動かすこともできなくなってしまうのです。

ではコンピューターを使いながら「つくり方」を考える力もしっかりと身につけるにはどうすれば良いか？　これは大問題です。工場によっては、古い機械や道具を何十年も使ってきた人が、若い人を指導するところもあります。皆さんも考えてみてください。良いアイディアがあれば大人たちも聞きにくるかも知れませんよ。

第6回　芸術家のいる工場

（1）「うちのお父さんは芸術家みたい」

もうずいぶん前のことですが、お父さん、お母さん、息子さんの3人が働く小さな工場で、インタビューをしました。そこでは主にお父さんが機械を操作して、歯車（機械の部品）をつくっていました。お父さんに歯車のつくり方を聞いていると、お母さんが私のそばに来てこう言ったのです。

「うちのお父さんは芸術家みたいなんですよ。」

そこでつくられる歯車の形は複雑で、しかもとても精密でした。腕の良い職人さんでなければ、つくることのできないものです。でも「うちのお父さんは芸術家」というのは変じゃないかなと、その時の私は思いました。

芸術家の場合、個性的であることがとても大切です。他のどの人の作品とも違う、いかにもその人らしい作品をつくることが重要な意味を持ちます。誰かのまねをして、良く似ているものをつくる人もいますが、それはものまねとしては認められても、芸術品として高く評価されることはありません。

ところが工場でのものづくりでは、つくられたものが個性的であっては困ります。同じ設計図で注文を出した時に、他の人はみな同じ歯車をつくってくれるのに、Aさんのところでつくられた歯車だけはいつも形が違うなんてことになったら、ものづくりは計画どおりに進まないでしょう。設計図が同じならば、つくられるものも同じでなければいけません。個性的に、他の人と違うものをつくるなんてことをしてはいけないのです。だから私は、「芸術家みたい」というのは変だと思ったのです。

（2）「どんなＮＣだって、うちのろくろにはかないませんよ」

この話を聞いたのと同じ頃、私は別の工場でこんな話も聞きました。そこは従業員10人くらいの工場で、ろくろと言う道具で鉄を削っていました。ろくろというのは、こけしなどを削る時に使う道具です。観光地の民芸品売り場などで、時々、これを使っておみやげのこけしをつくっていることがあります。もちろんこの工場のように鉄を削る場合は、こけしづくり用のろくろよりもしっかりとした、がんじょうなものを使います。でも基本的なしくみは、こけしづくりと同じです。

当時はすでにコンピューターでのものづくりが普通になっていた時代。この工場が引き受けているような仕事も、他の多くの工場はNC旋盤というコンピューターつきの機械でおこなっていました。ところがこの工場では、ろくろという原始的な道具を使うと言うのです。私が不思議そうな顔をしていると、社長さんが言いました。

「いやあ、大企業のどんなNCだって、うちのろくろにはかないませんよ。」

NC旋盤がろくろにかなわないなんてことがあるのだろうか？　私はおかしいと思いました。

（3）「つくり方」を考える時、芸術家と同じように個性が光る

あれから長い間、色々な工場でインタビューを重ねてゆくうちに、こうした人たちの言葉の意味が少しずつわかってきました。この人たちの言葉は、変でもなければ、おかしくもなかったのです。

歯車をつくる人も、ろくろで鉄を削る人も、設計図どおりにつくりますから、つくられたものは個性的ではありません。誰がつくっても、同じ設計図からは同じものがつくられます。ところがその「つくり方」を見てみると、それは必ずしも同じではないのです。特につくるのが難しいもの、良い「つくり方」がまだ知られていないものをつくる場合、仕事の前にどういう準備をするか、どういう順番で道具を使うか、どの部分から工作していくか、どのくらいのスピードで機械を動かすか……つくる人によってずいぶん違いが出てきます。「つくり方」は個性的なのです。難しい仕事になればなるほど、個性がキラキラと光ってきます。

どういう「つくり方」をすれば、はやく、むだなく、きれいにつくれるか。これを真剣に考える姿は、芸術家が自分の作品について考える姿と似ています。中には、良い「つくり方」にするために、自分で道具をつくってしまう人もいます。先ほどのろくろを使う人たちは、ろくろの他にも、自分で考えた「つくり方」にあわせて道具をつくります。新しい仕事がくると、そのたびに工夫して道具をつくり、その道具とろくろを使って鉄を削るのです。そうすると、どんな大企業のNCにも負けないものづくりができる。ですから「うちのろくろにはかないま

せんよ」という社長さんの言葉は、もっと正確に言うと「うちのろくろを使う人たちの、『つくり方』を考える力にはかないませんよ」ということなのですね。

皆さんもこういう目をもって工場を訪問すると、たくさんの芸術家と出会うことができますよ。

工作機械を操る職人さん

第7回　「ものづくり」を支える多くの人々

（1）自動車は、ものすごくたくさんの部品の組み合わせ

日本では毎年1000万台くらいの自動車がつくられているって、知っていましたか？　自動車はたくさんの部品でできています。さまざまな形の部品が、ガソリン車だと1台でだいたい3万個くらい（すべて日本で作っているわけではありませんが）。その3万個の部品をひとつひとつ組み合わせていくと、ようやく1台の自動車になるのです。そういう自動車が毎年1000万台つくられるとすれば、部品の数は全部で……ものすごいことになりますね。電気で動く自動車はもっと少ない部品で作られますから、これが広まっていくと必要な部品の数はもっと減りますが、仮に10分の1になったとしても1台につき3千個。それでもかなりの数ですよね。

（2）自動車はどこでつくられる？

では、そのものすごい数の部品をのせた自動車は、どこでつくられているのでしょう？　皆さんも「○○自動車」とか、「□□工業」といった企業の名前を聞いたことがあるでしょう。皆さんのご家族にも、そこにつとめているという人がいるかもしれませんね。自動車はそういう企業の工場でつくられます。それらの工場では、自動車の車体が動くベルトにのって進んで来ます。そしてそれに合わせて、そばに並んでいる人たちが、次々と自分の受け持ちの部品を車体に取りつけてゆきます。流れ作業というこの方法で、だいたい1分（60秒）に1台くら

いずつ自動車が完成してゆくのです。

　でも自動車をつくっているのはここだけではありません。流れ作業で取りつけられていく部品があるでしょう。これらは多くの場合、先ほどの「○○自動車」や「□□工業」ではつくられていません。そこでつくられるものもありますが、1台の自動車に3万個の部品があるとしたら、たいてい2万個以上は別のところでつくられます。別のところってどこでしょう？　たとえば「▽▽工機」であったり、「☆☆製作所」であったり、「◇◇精機」であったり、「△△工業」であったり……さまざまな名前の企業でつくられます。「○○自動車」や「□□工業」は、何百という数のそうした企業から部品を買ってきて、それを自分の工場で組み立てるのです。

さて、話はここで終わりません。今お話した部品をつくる企業も、また別の企業から部品を買っているのです。たとえば、「○○自動車」が車体に取りつけるエアコン（これも部品です）をAという企業から買うとしましょう。ところがそのAという企業も、エアコンをつくるためのスイッチやリード線やフィルターなどの部品を、aやbやcという企業から買っている。そうするとそのa、b、cという企業も、やはり自動車づくりの一部分を引き受けていることになりますよね。

さらにスイッチをつくるaは、そのスイッチの一部分となる金属をαという企業から買ってくるかもしれない。こうして「○○自動車」が使う部品をつくる何百という企業は、それがまた何千という企業から部品を買い、さらにその何千の企業は、また何万もの企業から自動車づくりにかかわる何かを買ってくるのです。つまり、走る自動車を完成させるのは「○○自動車」であっても、そこでつくられる自動車に取りつけられる部品は、何万（あるいはもっとたくさん）の企業によってつくられているのです。

（3）「ものづくり」にかかわる多くの企業と多くの人々

1台の自動車づくりにも、本当に多くの企業がかかわっているでしょう。これらの企業の中には、何千人、何万人という人が働いている大きな企業もあります。また何十人、何人というところもあります。1人だけという企業もたくさんあります。むしろ、ほとんどの企業は大企業ではありません（中小企業庁の発表によれば、日本の企業はほとんどが「大」ではなくて「中」か「小」。中小企業です）。そういう企業の力が集まって、そういう人たちの力に支えられて、自動車がつくられているのです。もちろん大企業も大切ですが、中小企業とそこで働く人たちがいなければ自動車はつくれません。

今回は自動車を例にお話しましたが、パソコンだってゲーム機だってスマートフォン（スマホ）だって同じことが言えます。さまざまな「ものづくり」が、おどろくほどたくさんの企業とそこで働く人々によって支えられています。そしてその企業の大多数が、中小企業なのだということも忘れないでください。皆さんも大企業のことはよく聞くでしょう。でも中小企業も、「ものづくり」にとって大切であることに変わりはないのです。

第8回　信頼にもとづく「ものづくり」

（1）設計図を紙飛行機に折って飛ばせば……

こんな例え話があります。

「大田区の高いビルから、設計図を紙飛行機に折って飛ばせば、3日のうちに製品になって戻ってくる。」大田区というのは東京の大田区。ここにはたくさんの工場があります。大きい工場もありますが、従業員が数名～十数名という町工場（まちこうば）が多いことで、特に有名な地域です。小さくても力のある優秀な町工場が集まっているので、設計図を紙飛行機にして飛ばせば、「それはどこかの工場でひろわれて、3日後には製品ができあがっているよ」という話です。そのくらい優秀な町工場が多いということです。

（2）「仲間取引」で町工場が協力し合う

優秀な町工場とはいうものの、小さな工場ですと、道具や機械や人手がたりないということがよくあります。

「注文を引き受けたけれど、ここの部分を切るための機械がうちにはない」とか、「この部品を磨くことのできる人は、うちにはいない」といった問題が出てくるのです。

そういう問題で困った時、大田区の町工場は、近所の工場に手伝ってもらいます。回りにはたくさんの工場がありますからね。「この部分を切る機械はうちにはないけれど、隣のA製作所にはあるからそこで切ってもらおう」とか、「通りの向こうのB工業所には、この部品を磨ける人がいるから、磨く仕事だけそこにお願いしよう」とか、そんな風にして仕事を一時的に手伝ってもらい、その分の代金を支払うのです。そして自分の工場では、引き受けた製品を最後まで完成させて、その注文を出してくれたところに届けて代金を受け取ります。はじめこの製品は1つの工場に注文されたのですが、結局は、いくつかの工場の共同作業で作られたことになりますよね。

ここで見た注文の関係は、時と場合によって色々変わります。切る仕事をお願いしていたA製作所が、今度はこちらに穴をあける仕事を頼みに来るかもしれませんし、B工業所が、A製作所とC鉄工所に仕事を手伝ってもらうこともあります。このように近所の町工場どうしが、仕事の一部分を手伝ったり、手伝ってもらったりする仲間のようになっていて、お互いに注文を出し合っているのです。その時その時の仕事に応じて、お互いにたりない部分を補い合う。これを「仲間取引」と言います。町工場が「仲間取引」で協力し合うことで、難しい製品でも短い期間で作り上げてしまう。この様子を見た人が、大田区では紙飛行機にした設計図が「3日のうちに製品になって戻ってくる」と言ったのでしょう。

(3)名古屋でも「仲間取引」

この「仲間取引」、大田区ほど目立ちませんが、私の住む名古屋でも行われています。自動車に関わる仕事の多い名古屋では、自動車のモデルが変わる時に行われることが多いようです。モデルが変わるとき、自動車部品工場では、大急ぎでたくさんの新しい金型(第5回に説明しましたね)などをそろえなければなりません。そこでそれを注文に出します。でも注文を引き受ける工場の方は、突然たくさん注文されてもすぐには作りきれないこともあります。そういう時、仲間の工場に手伝ってもらうのです。

大田区でも名古屋でも、仲間の工場と協力し合うことで、自分の工場だけではできなかった「ものづくり」ができるようになっていますね。ただしそのためには、仲間の工場どうしが信頼し合っていなければなりません。信頼できなければ、困った時の手伝いなど頼めないでしょう。技術的にも人間的にも信頼し合える仲間が集まることで、はじめてこうした「ものづくり」ができるようになるのです。

第9回　「ものづくり」にかかわる事故の原因

（1）「ものづくり」の現場でおこる事故

「ものづくり」の現場では、思いがけない事故がおこる場合がありま す。刃物が折れて飛び、人を傷つけたり、作業をするロボットが故障して人にぶつかったり、薬品に火がついて爆発したり…いつもこんなことが起こるわけではありませんが、油断をしていると大変なことになる場合もあります。

どうして事故がおこるのでしょう。疲れていて機械の運転をまちがえることもあります。決まりを守らずに(例えば、片手運転禁止なのに片手で)危ない運転をしている場合もあります。安全装置(例えばロボットの回りを鉄の柵で囲う)をつけておけば大丈夫なのに、お金がかかるので取り付けなかったためにおこる事故もあります。こういう事故は、本当に防ごうと思えばたいていは防ぐことができます。疲れすぎないように、働く時間の長さを無理のないものにする。安全のための決まりはきちんと守る。安全装置はたとえお金がかかっても必ず取り付ける。こういうことが当たり前になっていれば、ずいぶん事故は減るはずです。

（2）機械が「悲鳴」をあげる

ところで事故の原因には、機械の「悲鳴」をキャッチできないという問題がかかわっている場合もあります。機械は無理な使い方をしなければ、そんなにすぐにはこわれません。例えば機械で金属を削る場合に、どういう刃物をセットして、どのくらいのスピードで削れば良いのか――これは金属の種類や形によってさまざまです。削る人はその時の金属の種類や形に応じて、一番良い方法を考えます。削る人の考えた方法が適切であれば、機械はなめらかに、調子よく削ってくれます。逆に、刃物の種類や削るスピードがあっていなかったりすると、機械は「悲鳴」をあげます。無理な使い方をしているのです。

「悲鳴」をあげるといっても、誰にでもはっきりと分かるような大声ではありません。削る時の音が「何となくおかしい」とか、金属と刃物がふれる時に「何となく変な」においがするとか、そんな微妙なものです。たいていの人が見のがしてしまうような、かすかな異常です。放っておいても、しばらくは何も起こらないかもしれません。でもそれを見のがしていると、やがて金属がはじけたり、機械がこわれたりすることもあります。大事故は、実はこうしたかすかな異常の積み重ねによって起こることがとても多いのです。

磨き上げられたドリル類

（3）「悲鳴」をキャッチする能力

そうだとすると、機械の「悲鳴」に早く気づくことが大切ですよね。「何となくおかしい」状態に気づいて、問題の原因を探るのです。ではどうしたら早く気づくことができるのでしょう。コンピューターでチェックする？

それも行われています。でもそれには限界があります。コンピューターは、仕事の仕方をはっきりとしたプログラムで命令しないと、きちんと働けないのです。「温度が1000度を超えたら装置を止めなさい」という命令ならばその通りにできますが、「何となくおかしかったら様子を見なさい」なんて命令にはこたえられません。

結局、頼りになるのは人間です。長年、自分の手で機械を運転して金属を削ってきた人は、「この金属を無理なく削ればこんな音がする。あの金属だとこんなにおいがする。こちらの金属だと削りかすがこんなふうに光る」といったことを体で覚えていて、「何となくおかしい」時にはそれに気づくのです。そこで原因を調べてみると、「まちがって別の金属が持ち込まれていた」とか、「スピードが速すぎた」といったことが分かってきます。他の機械でも同じです。ガスタンクが「何となく変なふるえ方をしている」とか、ポンプが「何となくおかしいきしみ方をしている」といった、それぞれの機械の「悲鳴」をきちんとキャッチすることが、事故防止の大切なポイントなのです。それができないと、ガスタンクやポンプが爆発してしまうかもしれません。

機械の「悲鳴」をキャッチする能力――これは長年、機械を自分で運転することで身についてきます。運転中に感じられる機械のふるえ、においい、音、色……そういう経験が積み重なって、「何となくおかしい」ところが分かるようになるのです。ところが今、機械の多くはコンピューターで自動的に動きます。そういう機械のボタンを押すだけでは、こうした能力は身につきません。コンピューターにおかしいところを発見させるという方法もありますが、先ほど言いましたように、それには限界があります。コンピューターが自動的におかしいところを発見すれば、より安全になるという面もありますが、それに頼りきっていると機械の「悲鳴」をキャッチできる人がいなくなって、かえって危険になることもあるのです。使い方によっては、コンピューターが事故を呼び起こすということを知っておいてください。

第１０回　技術と技能

（１）中身がはっきりとわかる技術

「ものづくり」にかかわる技術の多くは、誰が見てもその中身をはっきりと知ることができます。例えば仕事の手順を説明書に書けば、誰にでもはっきりとわかりますよね。機械の仕組みも設計図を見れば誰にでもわかります（もちろん設計図を読む勉強は必要ですが）。コンピューターが使われる時、その仕事の中身は「右へ2cm刃物を動かす」とか「前へ1cmロボットの腕を出す」というように、はっきりとプログラムに書かれます。実際には「プログラミング言語」という特別な言葉で書かれているので、それを勉強しないとわかりませんが、でも勉強しさえすれば誰でもはっきりと中身を知ることができます。

（２）人に伝えにくい技能

ところが技術には、中身がはっきりとわからないものがあります。例えば私は、長年、鉄を削る機械を運転してきた人から、「運転の途中で手にあたりが来たら、少しなめるんだ」と言われたことがあります。「手にあたりが来る」というのは、運転するハンドルが少し重くなることのようです。予定通りにうまく削れていないとそうなるらしいのですが、どのくらい重くなるのか、どんな風に重くなるのか、言葉で説明できるものではないのです。「なめる」というのは、舌でなめるのではなく、ほんの少しだけハンドルを動かす手に力を入れて深めに削るということのようですが、それもどのくらい深く削るのかよくわかりません。と言うよりも、その時々のようすで、それは100分の1mmであったり、200分の1mmであったりするのです。運転している人が、その時の一番良い「なめ方」を判断して、手の動きを調節するのです。判断すると言っても、頭の中で「100分の1mm」と考えるのではなく、ハンドルの重さを手や体で感じて、その感覚をもとに調節します。これらもやはり技術ですが、うまくはっきりとした言葉で説明できません。ですから他の人にその方法を伝えるのも難しい。でも長年仕事を続けていると、その感覚がわかるようになるのです。こういう技術は、しばしば技能と呼ばれます。

（3）はっきりとわかる技術と技能とが協力しあう「ものづくり」

これまで人々は、多くの技能をはっきりとわかる技術に変えて、コンピューター化してきました。人が体で覚えていた感覚も、よく研究してみると、はっきりと数字で説明できるようになることがあります（例えば、「100gの重さがかかったら100分の1mmだけ深く押し込む」というように）。それをコンピューターのプログラムに入れてしまうのです。この時、技能ははっきりとわかる技術に変わります。

でも、はっきりと説明できないままの技能も、まだたくさんあります。しかもそれらは「ものづくり」の中で大切な役割を果たしています。最も精密な工作機械を作る時、きさげという道具を使って手で削らなければならないと、第4回にお話しましたよね。きさげ職人の感覚にもとづく技能が必要なのです。前回は、「何となくおかしい」という感じの機械の悲鳴をキャッチすることが、事故を防ぐことになるというお話をしました。「何となくおかしい」という、はっきりしないことを感じ取れる人の技能が大切なのです。「ものづくり」の現場では、このような技能と、はっきりとわかる技術とが協力しあっているのです。

（４）「ものづくり」以外の世界でも技能が生きる

実は「ものづくり」以外の世界にも、技術・技能の話があてはまることがたくさんあります。例えばスポーツ。野球でもサッカーでも解説書がありますよね。そこにはプレーの仕方がはっきりと書いてあります。これははっきりとわかる技術です。それから野球もサッカーも道具を使いますね。良いグローブや良いスパイクを使えば、それだけプレーしやすくなります。そういう道具もはっきりとわかる技術です。でも解説書を読んで良い道具を手に入れただけでは、良い選手にはなれません。本当に良い選手になるには、毎日毎日練習して、自分の体をどう動かせばうまく投げられるのか、うまく打てるのか、うまくキックできるのか……体で覚えなければいけません。その体を動かす感覚は、他の人に簡単に説明できるものではありません。これは技能なのです。

勉強の仕方や文章の書き方にも同じことが言えます。「文章の書き方」といった名前の本が出版されることがありますが、そこで説明されているのは、はっきりとわかる技術です。でもそれだけでは良い文章は書けません。自分自身でたくさんの文章を書き続けて、書くための技能を身につけないと、良い文章は書けないのです。

「ものづくり」のお話、いかがでしたか。わからなかった？　面白くなかった？　そうだとしたら、それはきっと私の文章を書く技能に問題があったのです。それでも読み続けてくれた皆さん、どうもありがとうございました。

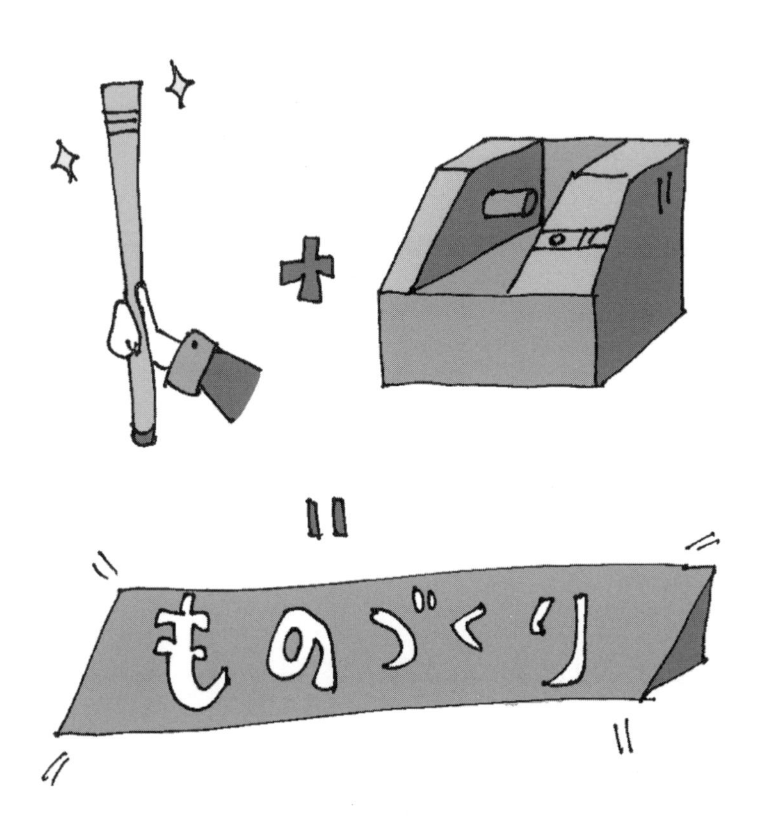

このブックレットの文章は、SEA科学教育研究会が発行している機関紙『ユリーカ』に、子ども向けコラムとして2006年に連載されたものがもとになっています。

掲載されているイラストは、竹上嗣郎さんに描いていただきました。

写真は、愛知県豊田市の知立機工株式会社さんで撮影させていただきました。撮影してくださったのは太田志乃さんです。

イラストや写真のレイアウトは、株式会社三恵社の片山剛之さんが工夫してくださいました。

ブックレット作成に協力してくださった皆さま、本当にありがとうございました。

【著者略歴】

渋井　康弘（しぶい　やすひろ）

1960年　東京都生まれ
1992年　慶應義塾大学大学院経済学研究科後期博士課程単位取得満期退学
1993年　名城大学商学部講師
現　在　名城大学経済学部教授

ものづくりと人々の暮らし

2020年12月 1日発行

著　　者　渋井康弘

発 行 所　株式会社 三恵社
〒462-0056 愛知県名古屋市北区中丸町2-24-1
TEL.052-915-5211　　FAX.052-915-5019

ISBN 978-4-86693-334-4　C0053